狐狸家 編著

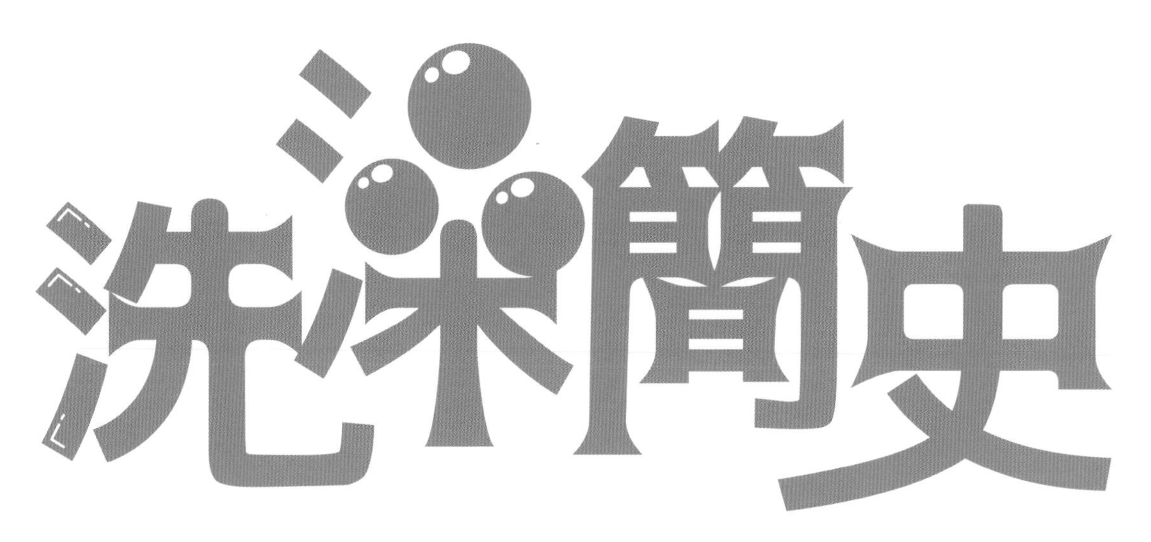

中華教育

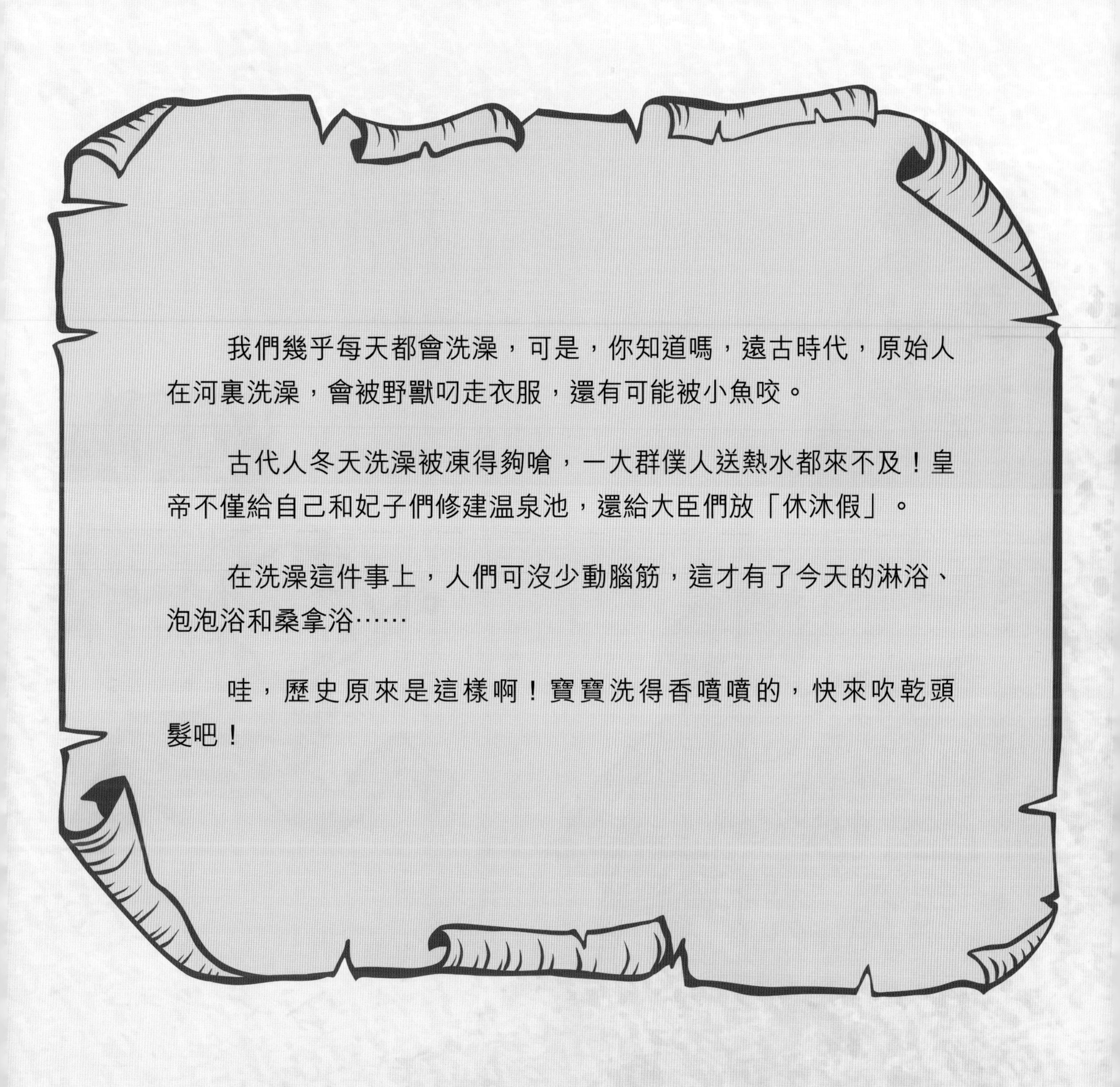

我們幾乎每天都會洗澡，可是，你知道嗎，遠古時代，原始人在河裏洗澡，會被野獸叼走衣服，還有可能被小魚咬。

古代人冬天洗澡被凍得夠嗆，一大群僕人送熱水都來不及！皇帝不僅給自己和妃子們修建溫泉池，還給大臣們放「休沐假」。

在洗澡這件事上，人們可沒少動腦筋，這才有了今天的淋浴、泡泡浴和桑拿浴……

哇，歷史原來是這樣啊！寶寶洗得香噴噴的，快來吹乾頭髮吧！

很久以前，人們鑽木頭、採果子、打獵、畫壁畫、鑿山洞，都會弄得一身汗。身上的髒東西越積越多，就髒成了「泥巴人」。

聞一聞，哎呀，臭死了！

「臭死了！」

該洗個澡啦！

水可以把髒了的身體洗乾淨，於是人們都到附近的小河、小溪裏洗澡，可有時候也會遇到一些麻煩事……

「羞死了，洗澡被
別人看見啦！」

有沒有能安安靜靜洗澡的方法呢？

有了！在家裏準備一個大木桶，灌上水，泡在木桶裏洗澡就不會被打擾啦！

在古代，洗個澡太不容易了，所以對古人來說，沐浴變成了重要的儀式。

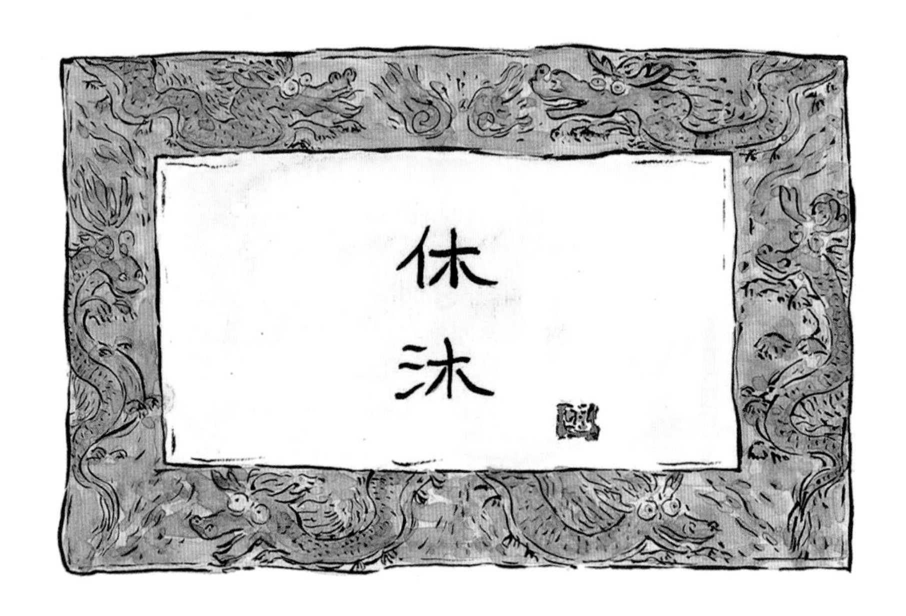

皇帝甚至會專門給大臣放洗澡假，叫作「休沐」。大臣那天不用上班，可以回家洗澡。

沐浴更衣是對人表示尊敬的禮儀。通常大臣拜見皇帝前，要先洗澡。

如果有人來家裏做客並住下，要讓客人能三天洗一次頭、五天洗一次澡，以表示對客人的尊重。

給長輩洗腳，是表達孝心的一種方式。

「水都涼了，
凍死了！」
「快添熱水！」
「快點兒把熱水送進去！」

可是，古時候條件有限，冬天洗澡更是件麻煩事。洗澡水很快就涼了，需要不停地從井裏打水、運水、燒水、添水……要用掉很多柴火，所以普通老百姓好久都不洗澡。

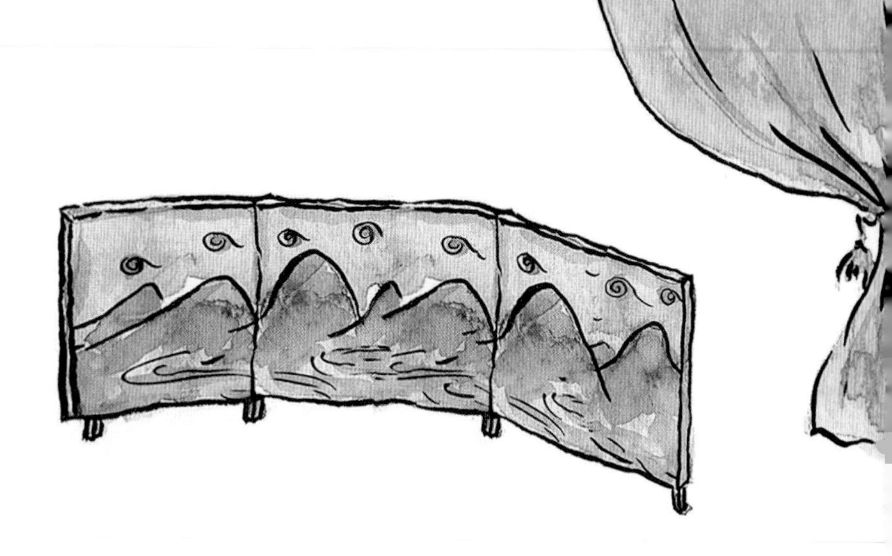

人們不斷地想辦法，讓洗澡變得更舒服。

有大臣向皇帝建議，在溫泉上建個池子，就可以一年四季享用熱水啦。

皇帝下令大興土木。

溫泉宮建好啦！皇帝和娘娘們可以舒舒服服地泡溫泉了。

　　娘娘們洗臉、洗頭、洗身……最後進到溫泉池裏泡一泡，真舒服！

淘米水

洗過米的水，是天然的去污劑。

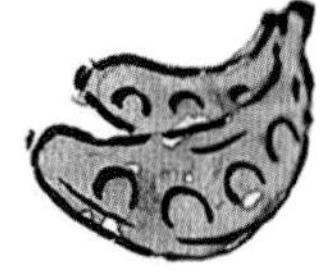

皂莢

又叫皂角，豆科植物。把莢果弄碎煮水，就是純天然的洗髮水。

澡豆

古時候全能的洗滌用品，由豆粉添加藥品製成。

泡温泉雖然舒服，卻不是人人都能享受到的。於是，人們又想出了比泡温泉更容易普及、更加方便的方法。

簡單的淋浴出現了。嘩啦啦！從頭到腳沖個乾淨。

後來，公共浴室出現了。哈哈，大家光着身子，邊洗澡，邊聊天，澡堂子成為街坊鄰里談天說地的新場所。

越來越多的人走進澡堂子。
洗澡真舒服！

現在，盆浴、淋浴、桑拿浴、牛奶浴、鹽浴、花瓣浴……洗澡的方式越來越多。

嘩！

洗頭洗臉

洗洗身體

寶貝兒，快來洗個香噴噴的熱水澡！

搓搓後背

擦乾身體

吹乾頭髮，謝謝媽媽！

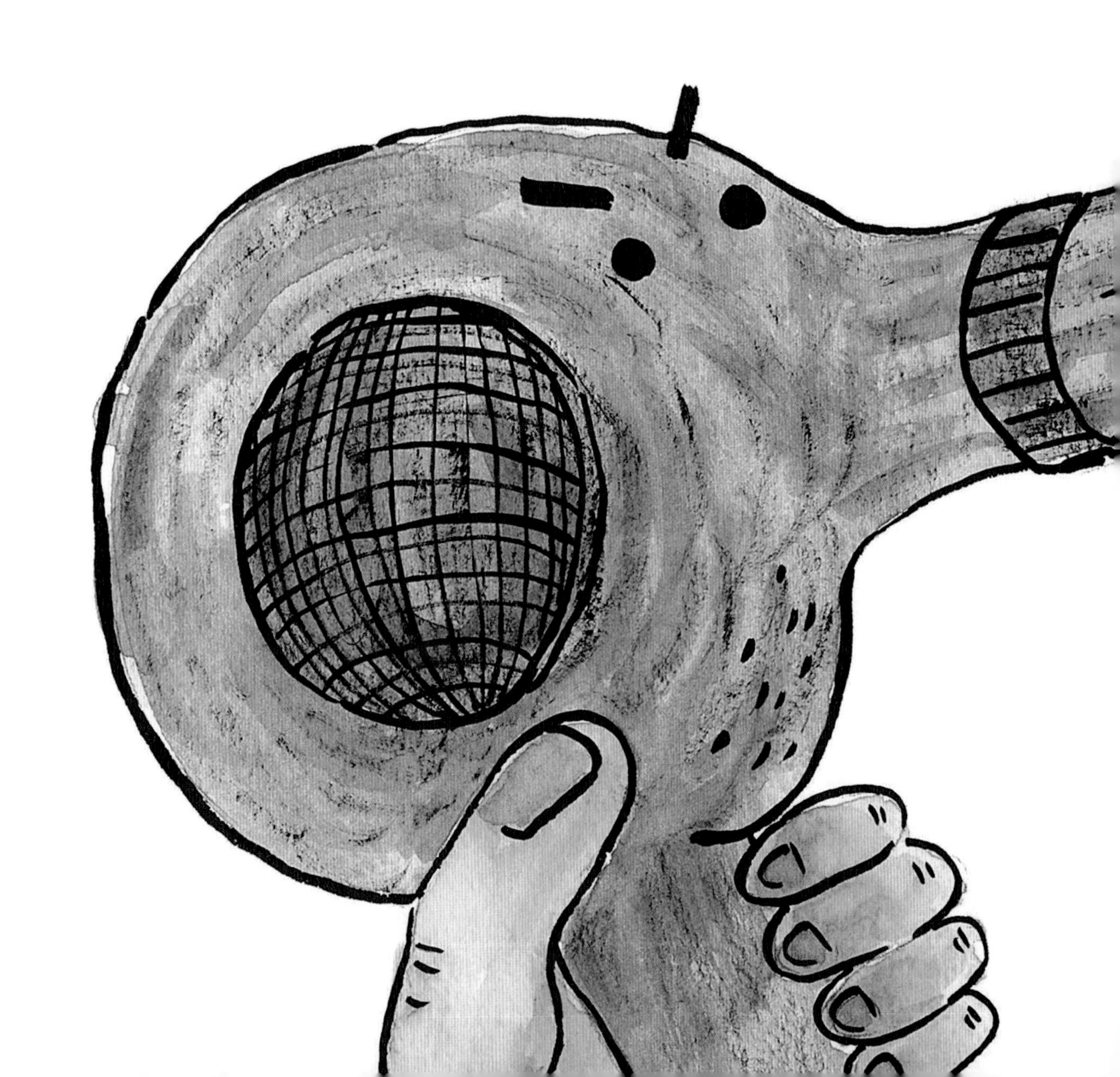

洗澡簡史

野外洗澡

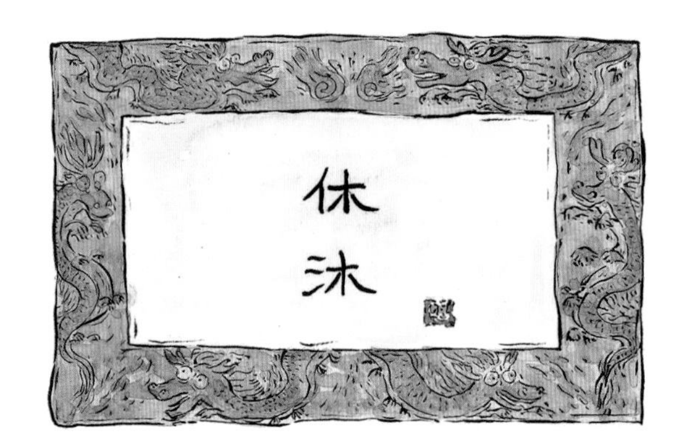

休沐假

家中沐浴

淋浴

澡堂

桑拿浴、牛奶浴、鹽浴、藥浴

温泉池

公共浴室

哇！歷史原來是這樣

狐狸家　編著

責任編輯：鍾昕恩
裝幀設計：鄧佩儀
排　　版：鄧佩儀
印　　務：劉漢舉

出版 | 中華教育
香港北角英皇道 499 號北角工業大廈 1 樓 B 室
電話：(852) 2137 2338　傳真：(852) 2713 8202
電子郵件：info@chunghwabook.com.hk
網址：http://www.chunghwabook.com.hk

發行 | 香港聯合書刊物流有限公司
香港新界荃灣德士古道 220-248 號 荃灣工業中心 16 樓
電話：（852）2150 2100　傳真：（852）2407 3062
電子郵件：info@suplogistics.com.hk

印刷 | 美雅印刷製本有限公司
香港觀塘榮業街 6 號海濱工業大廈 4 字樓 A 室

版次 | 2021 年 11 月第 1 版第 1 次印刷

規格 | 12 開（230mm x 230mm）

ISBN | 978-988-8759-98-9